劉福春・李怡 主編

民國文學珍稀文獻集成

第二輯

新詩舊集影印叢編　第75冊

【徐志摩卷】

猛虎集

上海：新月書店 1931 年 8 月初版

徐志摩　著

雲遊

上海：新月書店 1932 年 7 月初版

徐志摩 著

花木蘭文化事業有限公司

國家圖書館出版品預行編目資料

猛虎集／雲遊／徐志摩　著 — 初版 — 新北市：花木蘭文化事業有限公司，2017〔民 106〕

156 面／118 面；19×26 公分

（民國文學珍稀文獻集成・第二輯・新詩舊集影印叢編　第 75 冊）

ISBN 978-986-485-151-5（套書精裝）

831.8　　106013764

民國文學珍稀文獻集成・第二輯・新詩舊集影印叢編（51-85 冊）

第 75 冊

猛虎集
雲遊

著　者　徐志摩
主　編　劉福春、李怡
企　劃　首都師範大學中國詩歌研究中心
　　　　北京師範大學民國歷史文化與文學研究中心
　　　　（臺灣）政治大學民國歷史文化與文學研究中心
總編輯　杜潔祥
副總編輯　楊嘉樂
編　輯　許郁翎、王筑　美術編輯　陳逸婷
出　版　花木蘭文化事業有限公司
社　長　高小娟
聯絡地址　235 新北市中和區中安街七二號十三樓
　　　　電話：02-2923-1455／傳眞：02-2923-1452
網　址　http://www.huamulan.tw 信箱 hml 810518@gmail.com
印　刷　普羅文化出版廣告事業
初　版　2017 年 9 月
定　價　第二輯 51-85 冊（精裝）新台幣 88,000 元

猛虎集

徐志摩 著

新月書店（上海）一九三一年八月初版。原書三十二開。

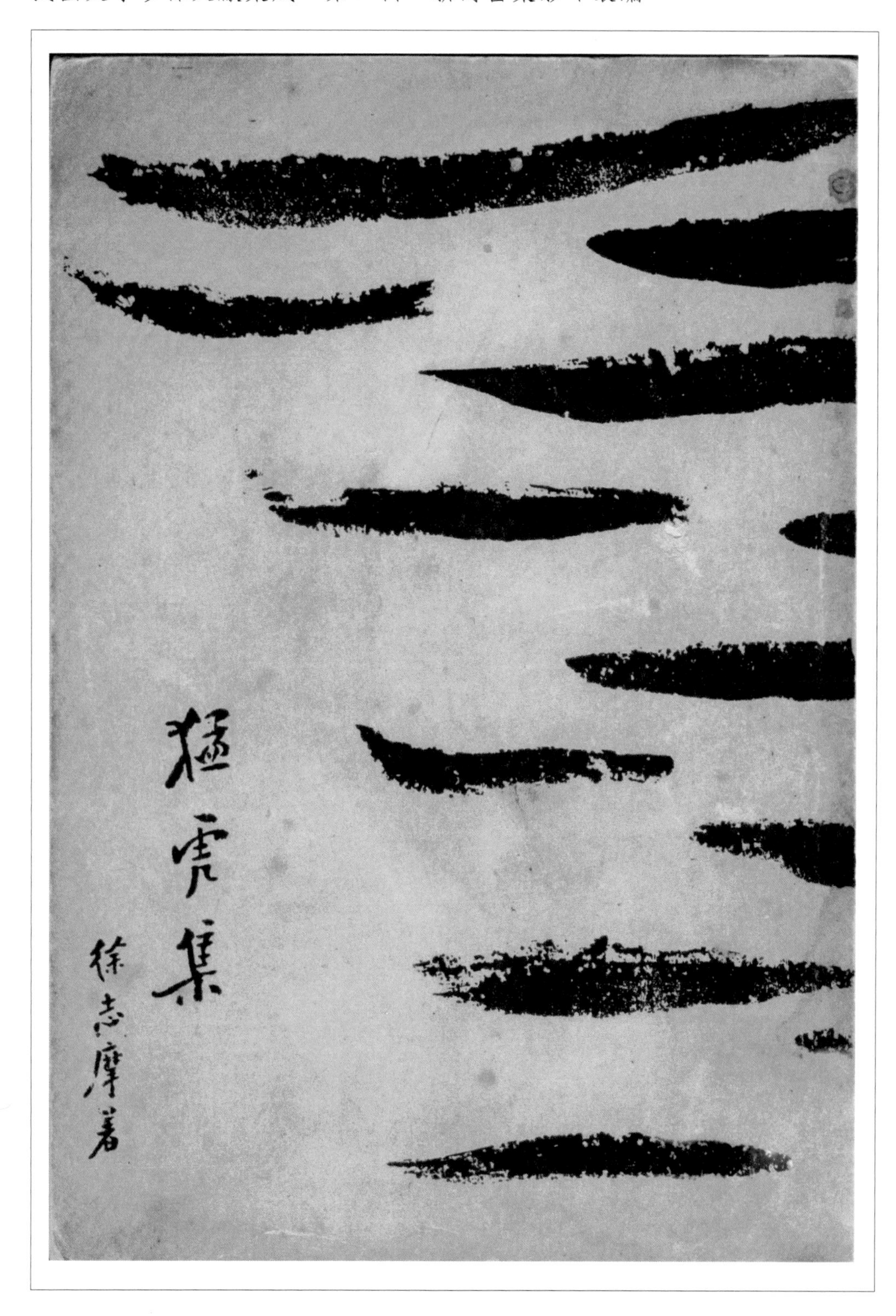
猛虎集
徐志摩著

序文

在詩集子前面說話不是一件容易討好的事。說得近於誇張了自己面上說不過去，過分謙恭又似乎對不起讀者。最甘脆的辦法是什麼話也不提，好歹讓詩篇它們自身去承當。但書店不肯同意；他們說如其作者不來幾句序言書店做廣告就無從着筆。作者對於生意是完全外行，但他至少也知道書賣得好不僅是書店有利益，他自己的版稅也跟著像樣，所以書店的意思，他是不能不尊敬的。事實上我已經費了三個晚上，想寫一篇可以幫助廣告的序。可是不相干，一行行寫下來祇是仍舊給塗掉，稿紙糟蹋了不少張，詩集的序終究還是寫不成。

況且寫詩人一提起寫詩他就不由得傷心。世界上再沒有比寫詩更慘的事；不但慘，而且寒傖。就說一件事，我是天生不長髭鬚的，但爲了一些破爛的句子，就我也不知曾經撚斷了多少根想像的長鬚！

這姑且不去說它。我記得我印第二集詩的時候曾經表示過此後不再寫詩一類的話。現在如何又來了一集，雖則轉眼間四個年頭已經過去。就算這些詩全是這四年內寫的，（實在有幾首要早到十三年份）每年平均也只得十首，一個月還派不到一首，況且又多是短短一概的。詩固然不能論長短，如同 Whistler 說畫幅是不能用田畝來丈量的。但事實是咱們這年頭一口氣總是透不長——詩永遠是小詩，戲永遠是獨幕，小說永遠是短篇。每回我望到莎士比亞的戲，丹丁的神曲，歌德的浮士德一類作品比方說，我就不由的感到氣餒，覺得我們卽使有一些聲音，那聲音是微細得隨時可以用一個小姆指給掐死的。天呀！那天我們才可以在創作裏看到使人起敬的東西？那天我們這些細桑子才可以豁免混充大花臉的急漲的苦惱?

說到我自己的寫詩,那是再沒有更意外的事了。我查過我的家譜,從永樂以來我們家裏沒有寫過一行可供傳誦的詩句。在二十四歲以前我對於詩的興味遠不如我對於相對論或民約論的興味。我父親送我出洋留學是要我將來進『金融界』的,我自己最高的野心是想做一個中國的Hamilton!在二十四歲以前,詩,不論新舊,於我是完全沒有相干。我這樣一個人如果眞會成功一個詩人——那還有什麼話說?

但生命的把戲是不可思議的!我們都是受支配的善

良的生靈，那件事我們作得了主？整十年前我吹着了一陣奇異的風，也許照著了什麼奇異的月色，從此起我的思想就傾向於分行的抒寫。一份深刻的憂鬱佔定了我；這憂鬱，我信，竟於漸漸的潛化了我的氣質。

話雖如此，我的塵俗的成分並沒有甘心退讓過；詩靈的稀小的翅膀，儘他們在那裏騰撲，還是沒有力量帶了這整份的累墜往天外飛的。且不說詩化生活一類的理想那是談何容易實現，就說平常在實際生活的壓迫中偶爾掙出八行十二行的詩句都是夠艱難的。尤其是最近幾年，有時候自己想着了都害怕：日子悠悠的過去內心竟可以一無消息，不透一點亮，不見絲紋的動。我常常疑心這一次是眞的乾了完了的。如同契玦臘的一身美是問神道通融得來限定日子要交還的，我也時常疑慮到我這些寫詩的日子也是什麽神道因爲憐憫我的愚蠢暫時借給我享用的非分的奢侈。我希望他們可憐一個人可憐到底！

一眨眼十年已經過去。詩雖則連續的寫，自信還是薄弱到極點。「寫是這樣寫下了，」我常自己想，「但準知道這就能算是詩嗎？」就經驗說，從一點意思的晃動到一篇詩的完成，這中間幾乎沒有一次不經過唐僧取經似的苦難的。詩不僅是一種分娩，它并且往往是難產！這份甘苦是只有當事人自己知道。一個詩人，到了修養極高的境界，如同泰谷爾先生比方說，也許可以一張口就有精圓的珠子吐出來，這事實上我親眼見過來的不打謊，但像我這樣既無天才又少修養的人如何說得上？

只有一個時期我的詩情眞有些像是山洪暴發，不分方向的亂冲。那就是我最早寫詩那半年，生命受了一種偉大力量的震撼，什麼半成熟的未成熟的意念都在指間散作繽紛的花雨。我那時是絕無依傍，也不知顧慮，心頭有什麼鬱積，就付託腕底胡亂給爬梳了去，救命似的迫切，那還顧得了什麼美醜！我在短時期內寫了很多，但幾乎全部都是見不得人面的。這是一個教訓。

我的第一集詩——志摩的詩——是我十一年回國後兩年內寫的；在這集子裏初期的洶湧性雖已消滅，但大部分還是情感的無關闌的泛濫，什麼詩的藝術或技巧都談不到。這問題一直要到民國十五年我和一多今甫一羣朋友在晨報副鐫刊行詩刊時方才開始討論到。一多不僅是詩人，他也是最有興味探討詩的理論和藝術的一個人。我想這五六年來我們幾個寫詩的朋友多少都受到「死水」的作者的影響。我的筆本來是最不受覊勒的一匹野馬，看到了一多的謹嚴的作品我方才憬悟到我自己的野性；但我素性的落拓始終不容我追隨一多他們在詩的理論方面下過任何細密的工夫。

我的第二集詩——翡冷翠的一夜——可以說是我的生活上的又一個較大的波折的留痕。我把詩稿送給一多看，他回信說『這比「志摩的詩」確乎是進步了——一個絕大的進步。』他的好話我是最願意聽的，但我在詩的「技巧」方面還是那楞生生的絲毫沒有把握。

最近這幾年生活不僅是極平凡，簡直是到了枯窘的深處。跟着詩的產量也儘『向瘦小裏耗。』要不是去年在中大認識了夢家和瑋德兩個年青的詩人，他們對於詩的熱情在無形中又鼓動了我奄奄的詩心，第二次又印「詩刊，」我對於詩的興味，我信，竟可以銷沈到幾於完全沒有。今年在六個月內在上海與北京間來回奔波了八次，遭了母喪，又有別的不少煩心的事，人是疲乏極了的，但繼續的行動與北京的風光却又在無意中搖活了我久蟄的性靈。抬起頭居然又見到天了。眼睛睜開了心也跟着開始了跳動。嫩芽的青紫，勞苦社會的光與影，悲歡的圖案，一切的動，一切的靜，重復在我的眼前展開，有聲色與有情感的世界重復爲我存在；這彷彿是爲了要挽救一個曾經有單純信仰的流入懷疑的頹廢，那在帷幙中隱藏着的神通又在那裏栩栩的生動；顯示它的博大與精微，要他認淸方向，再別錯走了路。

我希望這是我的一個眞的復活的機會。說也奇怪，一方面雖則明知這些偶爾寫下的詩句，盡是些『破破爛爛』的，萬談不到什麼久長的生命，但在作者自己，總覺得寫得成詩不是一件壞事，這至少證明一點性靈還在那裏挣扎，還有它的一口氣。我這次印行這第三集詩沒有別的話說，我只要籍此告慰我的朋友，讓他們知道我還有一口氣，還想在實際生活的重重壓迫下透出一些聲響來的。

你們不能更多的責備。我覺得我已是滿頭的血水，能不低頭已算是好的。你們也不用提醒我這是什麼日子；不用告訴我這遍地的災荒，與現有的以及在隱伏中的更大的變亂，不用向我說正今天就有千萬人在大水裏和身子浸着，或是有千千萬人在極度的飢餓中叫救命；也不用勸告我說幾行有韻或無韻的詩句是救不活半條人命的；更不用指點我說我的思想是落伍或是我的韻腳是根據不合時宜的意識形態的……這些，還有別的很多，我知道，我全知道；你們一說到只是叫我難受又難受。我再沒有別的話說，我只要你們記得有一種天教歌唱的鳥不到嘔血不住口，它的歌裏有它獨自知道的別一個世界的愉快，也有它獨自知道的悲哀與傷痛的鮮明；詩人也是一種癡鳥，他把他的柔軟的心窩緊抵着薔薇的花刺，口裏不住的唱着星月的光輝與人類的希望，非到他的心血滴出來把白花染成大紅他不住口。他的痛苦與快樂是渾成的一片。

獻詞

那天你翩翩的在空際雲遊，
自在，輕你，本不想停留
在天的那方或地的那角，
你的愉快是無闌阻的逍遙。
你更不經意在卑微的地面
有一流澗水，雖則你的明艷

在過路時點染了他的空虛，
使他甦醒，將你的倩影抱緊。

他抱緊的只是緜密的憂愁，
因為美不能在風光中靜止；
他要，你已飛度萬重的山頭，
去更闊大的湖海投射影子！

他在為你消瘦，那一流澗水，
在無能的盼望，盼望你飛回！

目錄

1

2

我等候你

我等候你。
我望着戶外的昏黃
如同望着將來，
我的心震盲了我的聽。
你怎還不來？希望
在每一秒鐘上允許開花。
我守候着你的步履，

你的笑語，你的臉，
你的柔軟的髮絲，
守候着你的一切；
希望在每一秒鐘上
枯死——你在那裏？
我要你，要得我心裏生痛，
我要你的火餤似的笑，
要你的靈活的腰身，
你的髮上眼角的飛星；
我陷落在迷醉的氛圍中，

2

像一座島，
在蔣綠的海濤間，不自主的在浮沈……
喔，我迫切的想望
你的來臨，想望
那一朵神奇的優曇
開上時間的頂尖！
你為什麼不來，忍心的？
你明知道，我知道你知道，
你還不來於我是致命的一擊，
打死我生命中乍放的陽春，

3

教堅實如礦裏的鐵的黑暗，
壓迫我的思想與呼吸；
打死可憐的希冀的嫩芽，
把我，囚犯似的，交付給
妬與愁苦，生的羞慚
與絕望的慘酷。
這也許是癡。竟許是癡。
我信我確然是癡；
但我不能轉撥一支已然定向的舵，
萬方的風息都不容許我猶豫——

4

我不能回頭，運命驅策著我！
我也知道這多半是走向
毀滅的路；但
爲了你，爲了你
我什麼也都甘願；
這不僅我的熱情，
我的僅有的理性亦如此說。
癡！想磔碎一個生命的纖徽
爲要感動一箇女人的心！
想博得的，能博得的，至多是

她的一滴淚，
她的一陣心酸，
竟許一半聲漠然的冷笑；
但我也甘願，即使
我粉身的消息傳到
她的心裏如同傳給
一塊頑石，她把我看作
一隻地穴裏的鼠，一條蟲，
我還是甘願！
癡到了真，是無條件的，

6

上帝他也無法調回一個
癡定了的心如同一個將軍
有時調回已上死線的士兵。
枉然，一切都是枉然，
你的不來是不容否認的實在，
雖則我心裏燒着潑旺的火，
饑渴著你的一切，
你的髮，你的笑，你的手脚；
任何的癡想與祈禱
不能縮短一小寸

7

你我間的距離!
戶外的昏黃已然
凝聚成夜的烏黑,
樹枝上掛着冰雪,
鳥雀們典去了它們的啁啾,
沈默是這一致穿孝的宇宙。
鐘上的針不斷的比着
玄妙的手勢,像是指點,
像是同情,像是嘲諷,
每一次到點的打動,我聽來是

8

我自己的心的
活埋的喪鐘。

9

春的投生

昨晚上，
再前一晚也是的，
在雷雨的猖狂中
春
　投生入殘冬的屍體。

不覺得脚下的鬆軟，

耳鬢間的溫馴嗎？
樹枝上浮着青，
潭裏的水漾成無限的纏綿；
再有你我肢體上
胸膛間的異樣的跳動；

桃花早已開上你的臉，
我在更敏銳的消受
你的媚，吞咽
你的連珠的笑；

你不覺得我的手臂
更迫切的要求你的腰身，
我的呼吸投射到你的身上
如同萬千的飛螢投向光燄？

這些，還有別的許多說不盡的，
和着鳥雀們的熱情的廻還，
都在手攜手的讚美着
春的投生。

二月二十八日

12

拜獻

山，我不讚美你的壯健，
海，我不歌詠你的闊大，
風波，我不頌揚你威力的無邊；
但那在雪地裏掙扎的小草花，
路旁冥盲中無告的孤寡，
燒死在沙漠裏想歸去的雛燕，——
給他們，給宇宙間一切無名的不幸，

我拜獻，拜獻我胸脊間的熱，
管裏的血，靈性裏的光明；
我的詩歌——在歌聲嘹亮的一俄頃，
天外的雲彩爲你們織造快樂，
　起一座虹橋，
　指點着永恆的逍遙，
在嘹亮的歌聲裏消納了無窮的苦厄！

渺小

我仰望羣山的蒼老，
他們不說一句話。
陽光描出我的渺小，
小草在我的脚下。

我一人停步在路隅，
傾聽空谷的松籟；

15

青天裏有白雲盤踞——
轉眼間忽又不在。

16

闊的海

闊的海空的天我不需要，
我也不想放一隻巨大的紙鷂
上天去捉弄四面八方的風；
　　我祇要一分鐘
　　我祇要一點光
　　我祇要一條縫，——
像一個小孩爬伏

在一間暗屋的窗前
留着西天邊不死的一條
縫，一點
光，一分
鐘。

18

猛虎(The Tiger by William Blake)

猛虎，猛虎，火燄似的燒紅
在深夜的莽叢，
何等神明的巨眼或是手
能擘畫你的駭人的雄厚？

在何等遙遠的海底還是天頂
燒着你眼火的純晶？

跨什麼翅膀他胆敢飛騰？
憑什麼手敢禽住那威棱？

是何等肩腕，是何等神通，
能雕鏤你的藏府的系統？
等到你的心開始了活跳，
何等震驚的手，何等震驚的脚？

椎的是什麼鎚？使的什麼鍊？
在什麼洪爐裏熬煉你的腦液？

20

什麽砧座，什麽駭異的拳把，
胆敢它的凶惡的驚怕擒抓？

常羣星放射它們的金芒，
滿天上泛濫着它們的淚光，
見到他的工程，他露不露笑容？
造你的不就是那造小羊的神工？

猛虎，猛虎，火燄似的燒紅
在深夜的莽叢，

何等神明的巨眼或是手

胆敢擘画你的惊人的雄厚?

五月一日

22

「他眼裏有你」

我攀登了萬仞的高岡，
荊棘扎爛了我的衣裳，
我向飄渺的雲天外望——
上帝，我望不見你！

我向堅厚的地殼裏掏，
搗毀了蛇龍們的老巢，

在無底的深潭裏我叫——
　上帝，我聽不到你！

我在道旁見一個小孩：
活潑，秀麗，襤褸的衣衫；
他叫聲媽，眼裏亮着愛——
　上帝，祂眼裏有你！

十一月二日星家坡

在不知名的道旁（印度）

什麼無名的苦痛，悲悼的新鮮，
什麼壓迫，什麼宛曲，什麼燒燙
你體者的傷，婦人，使你蒙着臉
在這昏夜，在這不知名的道旁，
任還過往人停步，訝異的看你，
你祇是不作聲，黑緜緜的坐地？

還有蹲在你身旁悚動的一堆，
一雙小黑眼閃盪着異樣的光，
像暗雲天偶露的星晞，她是誰？
凝愊在她臉上，可憐的小羔羊，
她怎知道人生的嚴重，夜的黑，
她怎能明白運命的無情，慘刻？

聚了，又散了，過往人們的訝異。
剎那的同情也許；但他們不能
為你停留，婦人，你與你的兒女；

26

伴着你的孤單，祇昏夜的陰沈，
與黑暗裏的螢光，飛來你身旁，
來照亮那小黑眼閃邊的星芒！

車上

這一車上有各等的年歲，各色的人：
有出鬚的，有奶孩，有青年，有商，有兵；
也各有各的姿態：傍着的，躺着的，
張眼的，閉眼的，向窗外黑暗望着的。

車輪在鐵軌上輾出重複的繁響，
天上沒有星點，一路不見一些燈亮；

只有車燈的幽輝照出旅客們的臉，
他們老的少的，一致聲訴旅程的疲倦。

這時候忽然從最幽闇的一角發出
歌聲：像是山泉，像是曉鳥，蜜甜，清越，
又像是荒漠裏點起了通天的明燎，
它那正直的金燄投射到遙遠的山坳。

她是一個小孩，歡欣搖開了她的歌喉；
在這冥盲的旅程上，在這昏黃時候，

像是奔發的山泉，像是狂歡的曉鳥，
她唱，直唱得一車上滿是音樂的幽妙。

旅客們一箇又一箇的表示着驚異，
漸漸每一個臉上來了有光輝的驚喜：
買賣的，軍差的，老翟，少年，都是一樣，
那喫奶的嬰兒，也把宅的小眼開張。

她唱，直唱得旅途上到處點上光亮，
層雲裏翻出玲瓏的月和斗大的星，

30

花朵，燈綵似的，在枝頭競賽着新樣，
那細弱的草根也在搖曳輕快的青螢！

車眺

一

我不能不讚美

這向晚的五月天；

懷抱着雲和樹

那些玲瓏的水田。

二

白雲穿掠着晴空，

像仙島上的白燕!
晚霞正照着它們,
白羽鑲上了金邊。

三

背着輕快的晚涼,
牛,放了工,默着做夢;
孩童們在一邊蹲;
想上牛背,美,還英雄!

四

在蘇密的樹蔭下,

有流水，有白石的橋，
橋洞下早來了黑夜，
流水裏有星在閃耀。

五

綠是豆畦，陰是桑樹林，
幽鬱是溪水傍的草叢，
靜是這黃昏時的田景，
但你聽，草蟲們的飛動！

六

月亮在昏黃裏上粧

太陽心慌的向天邊跑；
他怕見她，他怕她見，——
怕她見笑一臉的紅糟！

再別康橋

輕輕的我走了，
正如我輕輕的來，
我輕輕的招手，
作別西天的雲彩。

那河畔的金柳，
是夕陽中的新娘；

36

波光裏的豔影，
　在我的心頭蕩漾。

軟泥上的青荇，
　油油的在水底招搖：
在康河的柔波裏，
　我甘心做一條水草！

那榆蔭下的一潭，
　不是清泉，是天上虹

揉碎在浮藻間，
沈澱着彩虹似的夢。

尋夢？撐一支長篙，
向青草更青處漫溯，
滿載一船星輝，
在星輝斑斕裏放歌。

但我不能放歌，
悄悄是別離的笙簫；

夏蟲也為我沈默,
沈默是今晚的康橋!

悄悄的我走了,
正如我悄悄的來;
我揮一揮衣袖,
不帶走一片雲彩。

十一月六日中國海上

乾著急

朋友，這乾着急有什麽用，
喝酒玩吧，這槐樹下涼快；
看槐花直掉在你的盃中——
別嫌它：這也是一種的愛。

胡知了到天黑還在直叫
（她爲我的心跳還不一樣？）

40

那紫金山頭有夕陽返照
（我心頭，不是夕陽，是惆悵！）

這天黑得草木全變了形
（天黑可蓋不了我的心焦；）
又是一天，天上點滿了銀
（又是一天，真是，這怎麼好！）

秀山公園八月二十七日

俘虜頌

我說朋友，你見了沒有，那俘虜：
拚了命也不知爲誰，
提着殺人的凶器，
帶着殺人的惡計，
趁天沒有亮，堵着嘴，
望長江的濃霧裏悄悄的飛渡；

趁太陽還在崇明島外打盹，
滿江心祇是一片陰，
破着襤褸的江水，
不提防痷死的鬼，
爬在時間背上討命，
挨着這一船船替死來的接吻；
他們摸着了岸就比到了天堂；
顧不得險，顧不得潮，
一聳身就落了地

（夢裏的青蛙驚起，）
踹爛了六朝的青草，
燕子磯的嶙峋都變成了康莊！

幹什麽來了，這「大無畏」的精神？
算是好男子不怕死？——
爲一個人的荒唐，
爲幾元錢的獎賞，
闖進了魔鬼的圈子，
供獻了身體，在烏龍山下變糞？

看他們今兒個做俘虜的光榮！
身上臉上全掛着彩，
眉眼糊成了玫瑰，
口鼻裂成了山水，
腦袋頂着朵大牡丹，
在夫子廟前，在秦淮河邊尋夢！

九月四日

此詩原投現代評論，刊出後編輯先生來信，說他擅主割去了末了一段，因為有了那一段詩意即成了「反革命，」竄了那一段則是「絕妙的一首革命詩，」因而為報也為作者，他決意割去了那條不革命的尾巴」我原稿就只那一份，割去那一段我也記不起，重做也不願意，要刪又有朋友不讓，所以就讓它照這「殘樣」站着吧。

志摩

46

秋蟲

秋蟲，你爲什麽來？人們
早不是舊時候的清閒；
這青草，這白露，也是獃：
再也沒有用，這些詩材！
黃金才是人們的新寵，
她佔了白天，又霸住夢！
愛情：像白天裏的星星，

她早就迴避，早沒了影。
天黑它們也不得回來，
半空裏永遠有烏雲蓋。
還有廉恥也告了長假，
他躲在沙漠地裏住家；
花儘着開可結不成果，
思想被主義姦污得苦！
你別說這日子過得悶，
晦氣臉的還在後面跟！
這一半也是靈魂的懶，

48

他愛躲在園子裏種菜
『不管，』他說：『聽他往下醜——
變猪，變蛆，變蛤蟆，變狗……
過天太陽羞得遮了臉，
月亮殘闕了再不肯圓，
到那天人道眞滅了種，
我再來打——打革命的鐘！』

一九二七年秋

西窗

（一）

這西窗

這不知趣的西窗放進

四月天時下午三點鐘的陽光

一條條直的斜的羼躺在我的床上；

放進一團捣亂的風片

摸住了難免處女羞的花窗簾，
呵她癢，腰窩裏，頸子上，
羞得她直颺在半空裏，刮破了臉；

放進下而走道上洗被單
襯衣大小毛巾的胰子味，
廚房裏飯焦魚腥蒜苗是腐乳的沁芳南，
還有弄堂裏的人聲比狗叫更顯得鬆脆，

（二）

當然不知趣也不止是這西窗，

但這西窗是夠頑皮的，
它何嘗不知道這是人們打中覺的好時光！
拿一件衣服，不，拿這條繡外國花的毛毯，
　堵死了它，給悶死了它：
耶穌死了我們也好睡覺！

直著身子，不好，彎着來，
學一只賣乖風騷的大龍蝦，
在清淺的水灘上引誘水波的蕩意！
對呀，叫迷離的夢意像浪絲似的

爬上你的胡鬚，你的衣袖，你的呼吸……

你對着你脚上又新破了一個大窟窿的襪子發楞或是
忙着送玲巧的手指到神祕的胳支窩搔癢—可不是
　搔癢的時候
你的思想不見會得長上那傘把不住的大翅膀：

謝謝天，這是煙土被里純來到的剎那間
因爲有窟窿的破襪是絕對的理性，
胳支窩裏蚤類的癢是不可懷疑的實在。

（三）

香爐裏的煙，遠山上的霧，人的貪嗔和心機；
經絡裏的風濕，話裏的刺，笑臉上的毒，
誰說這宇宙這人生不夠富麗的？

你看那市場上的盤算，比那躉着大烟筒
走大洋海的船的肚子裏的機輪更來得複雜，
血管裏疙瘩着幾兩幾錢，幾錢幾兩，
腦子裏也不知那來這許多尖嘴的耗子爺？

還有那些比柱石更重實的大人們，他們也有他們的盤
算；
他們手指間夾着的雪茄雖則也冒着一捲捲成雲彩的
煙，
但更曲折，更奧妙，更像長蟲的翻戲，
是他們心裏的算計，怎樣到意大利路辣辣礦山裏去搬
運一個大石座來站他一個
足夠與靈龜比賽的年歲，
何況還有波斯兵的長槍，匈奴的暗箭……

再有從上帝的創造裏單獨創造出來舍向農商部呈請
　創造專利的文學先生們，猶是個奇蹟的奇蹟，
正如狐狸精對着月光吞吐牠的命珠，
他們也是在月光勾引潮汐時學得他們的職業秘密。
青年的血，尤其是滾沸過的心血，是可口的：——
他們借用普羅列搭里亞的瓢匙在彼此請呀請的舀着
　喝。
他們將來銅像的地位一定望得見朱溫張獻宗的。
繡着大紅花的俄羅斯毛毯方才拿來蒙住西窗的也不

知怎的滑溜了下來，不容做夢人繼續他的冒險，
但這些滑膩的夢意鑽軟了我的心
像春雨的細脚踹軟了道上的春泥。
西窗還是不櫳着的好，雖則弄堂裏的人聲
有時比狗叫更顯得鬆脆。
這是誰說的：「拿手擦擦你的嘴，
這人間世在洪荒中不住的轉，
像老婦人在空地裏檢可以當柴燒的材料？」

怨得

怨得這相逢；
誰作的主？——風！

也就一半句話，
露水潤了枯芽。

黑暗——放一箭光；

58

飛蛾：他受了傷。

偶然，眞是的。

惆悵？喔何必！

於敦煌九月

深夜

深夜裏，街角上，
夢一般的鐙芒。

烟霧迷裏着樹！
怪得人錯走了路？

「你害苦了我——冤家！」

60

她哭，他——不答話。

曉風輕搖着樹尖：
掉了，早秋的紅艷。

倫敦旅次九月

季候

（一）

他倆初起的日子，
像春風吹着春花。
花對風說「我要，」
風不囘話：他給！

（二）

但春花早變了泥，

春風也不知去向。
她怨，說天時太冷；
『不久就凍冰，』他說。

杜鵑

杜鵑，多情的鳥，他終宵唱：
在夏蔭深處，仰望着流雲
飛蛾似圍繞亮月的明燈，
星光疎散如海濱的漁火，
甜美的夜在露滋裏休憩，
他唱，他唱一聲「割麥插禾」，——
農夫們在天放曉時驚起。

多情的鵑鳥，他終宵罄訴，
是怨，是慕，他心頭滿是愛，
滿是苦，化成纏綿的新歌，
柔情在靜夜的懷中顫動；
他唱，口滴著鮮血，斑斑的，
染紅露盈盈的草尖，晨光
輕搖着園林的迷夢；他叫，
他叫，他叫一聲「我愛哥哥！」

黃鸝

一掠顏色飛上了樹。
『看，一隻黃鸝！』有人說。
翹着尾尖，它不作聲，
艷異照亮了濃密——
像是春光，火燄，像是熱情。

等候它唱，我們靜著望，

怕驚了它。但它一展翅,
衝破濃密,化一朵彩雲;
它飛了,不見了,沒了——
像是春光,火燄,像是熱情。

秋月

一樣是月色，
今晚上的，因爲我們都在樓頭看——
看它，一輪腴滿的嫵媚，
從烏黑得如同暴徒一般的
雲堆裏昇起——
看得格外的亮，分外的圓。
它展開在道路上，

它飄閃在水面上，
它沈浸在
水草盤結得如同憂愁般的
水底；
它睥睨在古城的雉碟上，
萬千的城磚在它的淸亮中
呼吸，
它撫摩着
錯落在城廂外內的墓墟，
在宿鳥的斷續的呼聲裏，

想見新舊的鬼，
也和我們似的相依偎的站着，
眼珠放着光，
咀嚼着徹骨的陰涼：
銀色的纏綿的詩情
如同水面的星燐，
在露盈盈的空中飛舞。
聽那四野的吟聲——
永恆的卑微的諧和，
悲哀揉和着歡暢，

怨仇與恩愛，
晦冥交抱着火電，
在這危絕的秋夜與秋野的
蒼茫中，
「解化」的偉大
在一切纖微的深處
展開了
嬰兒的微笑！

十月中

山中

庭院是一片靜，
　聽市謠圍抱；
織成一地松影——
　看當頭月好！

不知今夜山中
　是何等光景；

想也有月，有松，
有更深的靜。

我想攀附月色，
化一陣淸風，
吹醒羣松春醉，
去山中浮動；

吹下一針新碧，
掉在你窗前；

輕柔如同歎息——
不驚你安眠！

四月一日

74

兩箇月亮

我望見有兩箇月亮：
一般的樣，不同的相。

一箇還時正在天上，
披敞着雀毛的衣裳；
她不吝惜她的恩情，
滿地全是她的金銀。

她不忘故宮的琉璃，
三海間有她的清麗。
她跳出雲頭，跳上樹，
又躲進新綠的藤蘿。
她那樣玲瓏，那樣美，
水底的魚兒也得醉！
但她有一點子不好，
她老愛向瘦小裏耗；
有時滿天祇見星點，
沒了那迷人的圓臉，

雖則到時候照樣回來，
但這份相思有些難挨！

還有那個你看不見，
雖則不提有多麽艷！
她也有她醉渦的笑，
還有轉動時的靈妙；
說慷慨她也從不讓人，
可惜你望不到我的園林！
可貴是她無邊的法力，

常把我靈波向高裏提：
我最愛那銀濤的洶湧，
浪花裏有音樂的銀鐘；
就那些馬尾似的白沫，
也比得珠寶經過雕琢。
一輪完美的明月，
又況是永不殘缺！
祗要我閉上這一雙眼，
她就婷婷的升上了天！

四月二日月圓深夜

78

給——

我記不得維也納，
　除了你，阿麗思；
我想不起佛蘭克府，
　除了你，桃樂斯；
尼司，佛洛倫司，巴黎，
　也都沒有意味，
要不是你們的豔麗，——

玫思，麥蒂特，臘妹，
翩翩的，盈盈的，
孜孜的，婷婷的，
照亮著我記憶着幽黑，
像冬夜的明星，
像暑夜的遊螢，——
怎教我不傾顛！
怎教我不迷醉！

一塊晦色的路碑

腳步輕些，過路人！
休驚動那最可愛的靈魂，
如今安眠在這地下，
有絳色的野艸花掩護她的餘燼。

你且站定，在這無名的土阜邊，
任晚風吹弄你的衣襟；

倘如這片刻的靜定感動了你的悲憫，
讓你的淚珠圓圓的滴下——
爲這長眠著的美麗的靈魂！

過路人，假如你也曾
在這人間不平的道上顚頓，
讓你此時的感憤凝成最鋒利的悲憫，
在你的激震著的心葉上，
刺出一滴，兩滴的鮮血——
爲這遭冤曲的最純潔的靈魂！

歌

（冠列士丁娜・羅塞蒂）

我死了的時候，親愛的，
別為我唱悲傷的歌；
我墳上不必安插薔薇，
也無須濃蔭的柏樹；
讓蓋着我的青青的草
零著雨，也沾著露珠；
假如你願意，請記著我，

要是你甘心，忘了我，

我再不見地面的青蔭，
覺不到雨露的甜蜜；
再聽不見夜鶯的歌喉
在黑夜裏傾吐悲啼；
在悠久的昏暮中迷惘，
陽光不升起，也不消翳；
我也許，也許我記得你，
我也許，我也許忘記。

誄詞

（安諾得）

散上玫瑰花，散上玫瑰花，
　休攙雜一小枝的水松！
在寂靜中她寂靜的解化；
　阿！但願我亦永終。

她是個希有的歡欣，人間
　曾經她喜笑的洗淨，

但倦了是她的心，倦了，可憐，
　這回她安眠了，不再蘇醒。

在火熱與擾攘的迷陣中
　旋轉，旋轉着她的一生；

但和平是她靈魂的想望，——
　和平是她的了，如今。

局促在人間，她博大的神魂，
　何曾享受呼吸的自由；

93

今夜，在這靜夜，她獨自的攀登
那死的插天的高樓。

枉然

你枉然用手鎖着我的手，
女人，用口禽住我的口，
枉然用鮮血注入我的心，
火燙的淚珠見證你的眞；

遲了！你再不能叫死的復活，
從灰土裏喚起原來的神奇：

縱然上帝憐念你的過錯，
他也不能拿愛再交給你！

生活

陰沈，黑暗，毒蛇似的蜿蜒，
生活逼成了一條甬道：
一度陷入，你祇可向前，
手捫索着冷壁的黏潮，

在妖魔的臟腑內掙扎，
頭頂不見一線的天光，

09

這魂魄，在恐怖的壓迫下，
除了消滅更有什麽願望？

五月二十九日

殘春

昨天我瓶子裏斜插著的桃花
是朵朵媚笑在美人的腮邊掛；
今兒它們全低了頭，全變了相：——
紅的白的屍體倒懸在青條上。

窗外的風雨報告殘春的運命，
喪鐘似的音響在黑夜裏叮嚀：

92

「你那生命的瓶子裏的鮮花也
變了樣：豔麗的屍體，誰給收殮？」

殘破

（一）

深深的在深夜裏坐著：
當窗有一團不圓的光亮，
風挾着灰土，在大街上
小巷裏奔跑：
我要在枯禿的筆尖上裊出
一種殘破的殘破的音調，

94

為要抒寫我的殘破的思潮。

（二）

深深的在深夜裏坐着：
生尖角的夜涼在窗縫裏
妬忌屋內殘餘的暖氣，
也不饒恕我的肢體：
但我要用我半乾的墨水描成
一些殘破的殘破的花樣，
因為殘破，殘破是我的思想。

（三）

深深的在深夜裏坐着，
左右是一些醜怪的鬼影：
焦枯的落魄的樹木
在冰沈沈的河沿叫喊，
比着絕望的姿勢，
正如我要在殘破的意識裏
重興起一個殘破的天地。

（四）

深深的在深夜裏坐着，
閉上眼回望到過去的雲烟：

96

阿，她還是一枝冷豔的白蓮，
斜欹著曉風，萬種的玲瓏；
但我不是陽光，也不是露水，
我有的只是些殘破的呼吸，
如同封鎖在壁椽間的羣鼠，
追逐著，追求著黑暗與虛無！

97

活該

活該你早不來！
熱情已變死灰。

提什麼已往？——
枯髏的燐光！

將來？——各走各的道，

98

長庚管不著「黄昏曉。」

愛是癡，恨也是傻；
誰點得清恆河的沙？

不論你夢有多麽圓，
周圍是黑暗沒有邊。

比是消散了的詩意，
趁早掩埋你的舊憶。

99

這苦臉也不用裝，
到頭兒總是個忘！

得！我就再親你一口：
熱熱的！去，再不許停留。

卑微

卑微，卑微，卑微；
風在吹
無抵抗的殘葉：

枯槁它的形容，
心已空，
音調如何吹弄？

飛在向風祈禱：

『忍心好，

將我一拳椎倒；

「也是一宗解化——

本無家，

任飄泊到天涯！」

「我不知道風是在那一個方向吹」

我不知道風
是在那一個方向吹——
我是在夢中，
在夢的輕波裏依洄。

我不知道風

是在那一個方向吹——

我是在夢中，

她的溫存，我的迷醉。

我不知道風

是在那一個方向吹——

我是在夢中，

甜美是夢裏的光輝。

我不知道風

104

是在那一個方向吹——
我是在夢中，
她的負心，我的傷悲。

我不知道風
是在那一個方向吹——
我是在夢中，
在夢的悲哀裏心碎！

我不知道風

是在那一個方向吹——

我是在夢中，

黯淡是夢裏的光輝。

哈代

哈代，厭世的，不愛活的，
　這回再不用怨言，

一個黑影蒙住他的眼？
　去了，他再不漏臉。

八十八年不是容易過，
　老頭活該他的受，

抗著一肩思想的重負，
　早晚都不得放手。
為什麽放著甜的不嘗，
　暖和的座兒不坐，
偏挑那陰淒的調兒唱，
　辣味兒辣得口破，
他是天生那老骨頭殭，
　一對眼拖着看人，

他看著了誰誰就遭殃，
　你不用跟他講情！
他就愛把世界剖著瞧，
　是玫瑰也給拆壞；
他沒有那蛾眉的纖巧，
　他有夜鴞的古怪！
古怪，他爭的就只一點——
　一點「靈魂的自由」！

也不是成心跟誰翻臉，
　認眞就得認個透。

他可不是沒有他的愛——
　他愛眞誠，愛慈悲：
人生就說是一場夢幻，
　也不能沒有安慰。

這日子你怪得他惆悵，
　怪得他話裏有刺，

110

他說樂觀是「死屍臉上
　抹著粉，搽著胭脂」
這不是完全放棄希望，
　宇宙還得往下延，
但如果前途還有生機，
　思想先不能隨便。
爲維護這思想的尊嚴，
　時人他不敢怠惰，

高擎著理想，睜大著眼；
抉剔人生的錯誤。

現在他去了，再不說話。
（你聽這四野的靜，）

你要忘了他就忘了他
（天吊明哲的凋零！）

舊歷元旦

112

哈代八十六歲誕日自述

好的，世界，你沒有騙我，
　你沒有寃我，
你說怎麼來是怎麼來，
你的信用倒眞是不壞。
打我是個孩子我常躺
在靑草地裏對着天望，
說實話我從不曾希冀

人生有多麼豔麗。

打頭兒你說，你常在說，
你說了又說，
你在那雲天裏，山林間，
散播你的神秘的語言：
「有多人愛我愛過了火，
有的態度始終是溫和，
也有老沒有把我瞧起，
到死還是那怪僻。

「我可從不曾過分應承，
　孩子；從不過分；
做人紅黑是這麼回事，」
你要我明白你的意思。
正斷你把話說在頭裏，
我不躊躇的信定了你，
要不然每年來的煩惱
　我怎麼支持得了？

對月（哈代）

「現在你是倦了老了的，不錯，月，
　但在你年青的時候，
你倒是看著了些個什麼花頭？」
「阿！我的眼福眞不小，有的事兒甜，
　有的莊嚴，也有叫人悲愁，
黑夜，白天，看不完那些寒心事件，
　在我年青青的時候。」

「你是那麼孤高那麼遠，眞是的，月，
　但在你年少的時光，
你倒是轉着些個怎麼樣的感想？」
「阿我的感想，那樣不叫我低着頭
　想，新鮮的變舊，少壯的亡，
　民族的興衰，人類的瘋顛與荒謬，
那樣不動我的感想？」
「你是遠離着我們這個世界，月，
　但你在天空裏轉動，

有什麼事兒打岔你自在的心胸？」

「阿，怎麼沒有，打岔的事兒當然有，

地面上異樣的徵角商宮，

說是人道的音樂，在半空裏飄浮，

打岔我自在的轉動。」

「你倒是乾脆發表一句總話，月，

你已然看透了這回事，

人生究竟是有還是沒有意思？」

「阿，一句總話，把它比作一台戲，

儘做怎不叫人煩死，
上帝他早該喝一聲「幕閉，」
我早就看膩了這回事。」

一個星期（哈代）

星一那晚上我關上了我的門，
心想你滿不是我心裏的人，
此後見不見面都不關要緊。

到了星期二那晚上我又想到
你的思想；你的心腸，你的面貌，
到底不比得平常，有點兒妙。

120

星三那晚上我又想起了你，
想你我要合成一體總是不易，
就說機會又叫你我湊在一起。

星四中上我思想又換了樣；
我還是喜歡你，我倆正不妨
親近的住着，管它是短是長。

星五那天我感到一陣心震，

當我望着你住的那個鄉村，
說來你還是我親愛的，我自認，

到了星期六你充滿了我的思想，
整個的你在我的心裏發亮，
女性的美那樣不在你的身上？

像是隻順風的海鷗向着海飛，
到星期晚上我簡直的發了迷，
還做什麼人這輩子要沒有你！

122

死屍

"Une Charogne" by Charles Baudelaire
"Les Fleurs du Mal"

我愛，記得那一天好天氣
你我在路旁見着那東西；
橫躺在亂石與蔓草裏，
一具潰爛的屍體。
牠直開着腿，蕩婦似的放肆，
泄漏着穢氣，沾惡腥的黏味，

它那癰潰的胸腹也無有遮蓋，
沒忌憚的淫穢。
火熱的陽光照臨着這腐潰，
化驗似的蒸發，煎煮，消毀，
解化着原來組成整體的成分
重向自然返歸。
靑天微粲的俯看着這變態，
彷彿是眷注一莖向陽的朝卉；

124

那空氣裏却滿是穢息，難堪，
　多虧你不會昏醉，
大羣的蠅蚋在爛肉間喧鬨，
　醞釀着細蛆，黑水似的洶湧，
他們吞噬着生命的遺悅，
　啊，報仇似的兇猛。
那蛆羣潮瀾似的起落，
　無饜的飛蟲倉皇的爭奪：

轉像是無形中有生命的吹息，
互疊的微生滋育。
醜惡的屍體，從這繁生的世界，
彷彿有風與水似的異樂縱瀉。
又像是在風車旋動的和音中，
穀衣急雨似的四射。
眼前的萬象遲早不免消翳，
夢幻似的只模糊的輪廓存遺，

有時在美術師的腕底，不期的，
掩映着遼遠的回憶。

在那磐石的後背躲着一隻野狗，
牠那火赤的眼睛向着你我守候，
牠也撕下了一塊爛肉，憒憒的，
等我們過後來享受。

就是我愛，也不免一般的腐朽，
這樣惡腥的傳染，誰能忍受——

你，我願望的明星！照我的光明！
　這般的純潔，溫柔！
是呀就你也難免美麗的后，
　等到那最後的新禱爲你誦呪，
這美妙的丰姿也不免到泥草裏，
　與陳死人共朽。
因此，我愛呀，吩咐那趦趄的蟲蠕，
　他來親吻你的生命，吞噬你的體膚，

說我的心永遠葆着你的妙影，
卽使你的肉化羣蛆！

十三年十三月

一九三一年八月初版

—猛虎集—

精裝實價壹元
平裝實價七角
外埠酌加郵費

著作者 徐志摩

發行者 新月書店
上海四馬路
北平米市大街

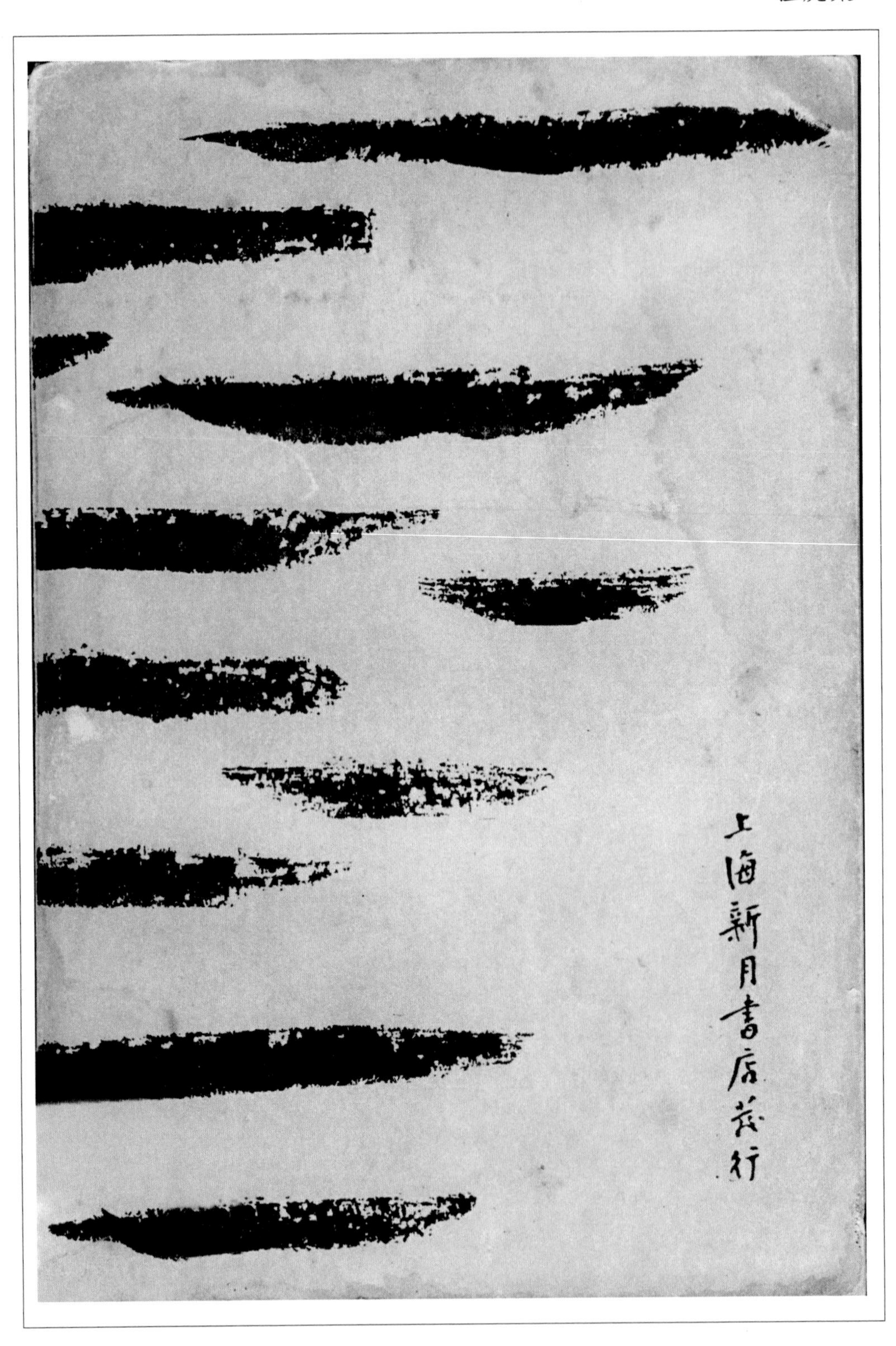
上海新月書店發行

雲遊

徐志摩 著

新月書店（上海）一九三二年七月初版。原書三十二開。

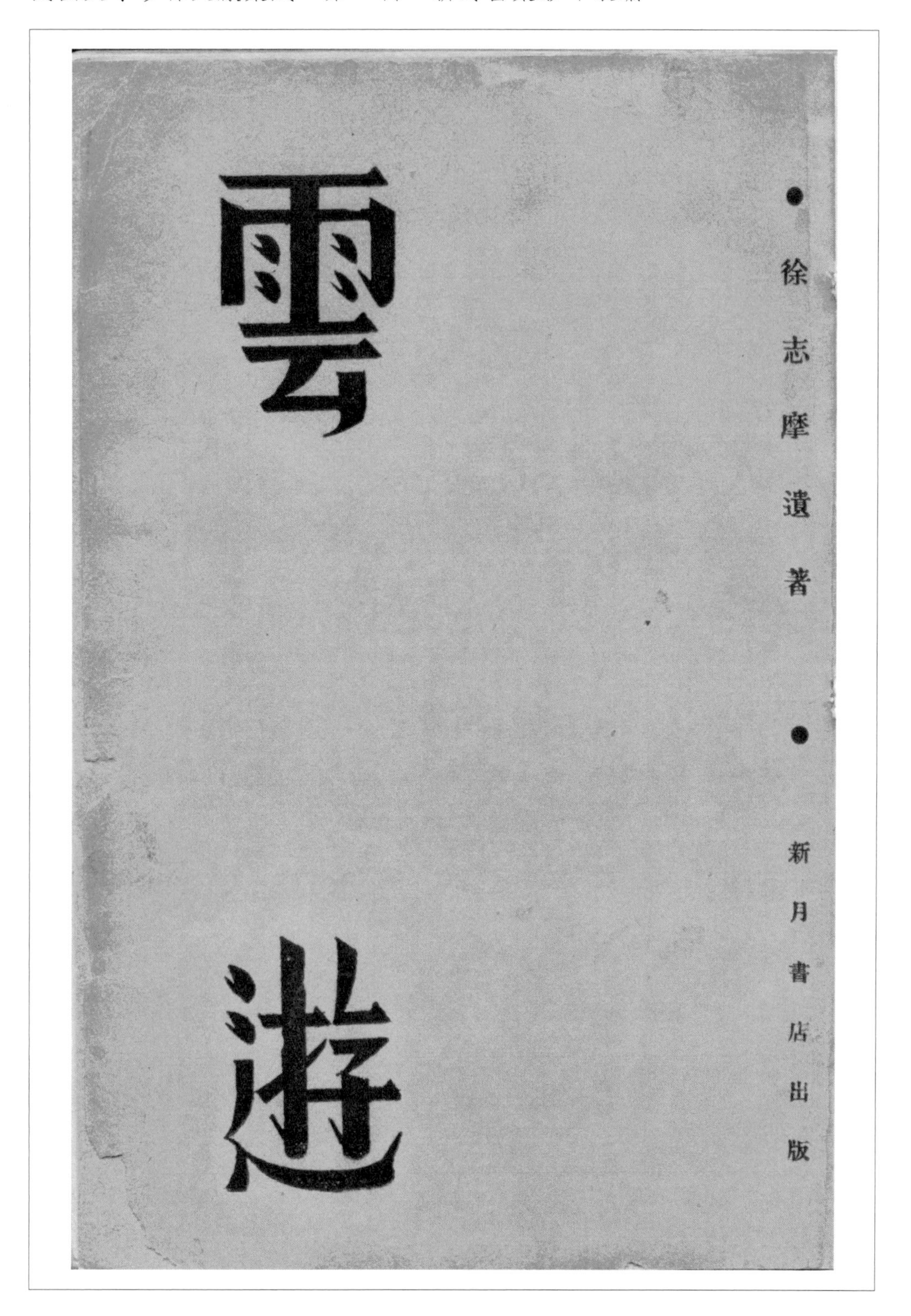
雲遊
徐志摩遺著
新月書店出版

雲遊

徐志摩著

上海

新月書店印行

序

陸小曼

我眞是說不出的悔恨爲甚麼我以前老是懶得寫東西。志摩不知逼我幾次，要我同他寫一點序，有兩會他將筆墨都預備好，只叫隨便塗幾個字，可是我老是寫不到幾行，不是頭暈卽是心跳，只好對着他發楞，招頭望着他的嘴盼他吐出聖旨來我卽可以立時的停筆。那時間他也只得笑着對我說「好了，好了，大大我眞拿你沒有辦法，去躭着吧！囘頭又要頭痛了，」走過來擲去了我的筆，扶了我就此躭下了，再也不想接續下去。我只能默默然的無以相對，他也只得對着我乾笑，幾次的張羅結果終成泡影。

又誰能料到今天在你去後我才眞的認眞的算動筆寫東回憶與追悔便將我的思潮糢糊得無從捉摸。說也慘，這西，頭一次的序竟成了最後的一篇，那得叫我不一陣心酸，難道說這也是上帝早已安排定了的麼？

不要說是寫序我不知道應該如何落筆，壓根兒我就不會寫東西，雖然志摩常說我的看東西的決斷比誰都强，可是輪到自己動筆就抓瞎了。這也怪平時太懶的原故。志摩的東西說也慚愧多半沒有讀過，這一件事有時使得他狠生氣的。也有時偶而看一兩篇，可從來也未曾誇過他半句，不管我心裏是夠多麼的嘆服，多麼讚美我的摩。有時他若自讀自讚的我還要罵他臭美呢。說也奇怪要是我不喜歡的東西，只要說一句『這篇不大好』他就不肯發表。有時我問他你怪不怪我老是這樣苛刻的批評你，他總說：『我非但不怪你還愛你能時常的鞭策，我不要容我有半點的「臭美」因為只有你肯說實話別人是老一味恭維』話，雖如此可是有時他也怪我為甚麼老是好像不希罕他寫的東西似的。

其實我也同別人一樣的崇拜他，不是等他過後我才誇他，說實話他寫的東西是比一般人來得俏皮。他的詩有幾首眞是寫得像活的一樣，有的字用得別提多美呢！有些神仙似的句子看了眞叫人神往，叫人忘却人間有煙火氣，牠的體格眞是高超我眞服他從甚麼地方想出來的。詩是沒有話說不用我讚，自有公論。散文也是一樣流利，有時想學也學不來的。但是他缺少寫小說的天才，每次他老是不滿意，我看了也是覺得少了點甚麼似的，也不知道是甚麼道理，我這一點淺薄的學識便說不出所以然來。

洵美叫我寫摩的雲游的序，我還不知道他這雲遊是幾時寫的呢！雲遊！可不是，他眞的雲遊去了，這一本怕是他最後的詩集了，家裏零碎的當然還有，可是不知夠一本不。

這些日因爲成天的記憶他只得不離手的看他的信同書，愈好當然愈是傷感，可嘆奇才遭天妒，從此我再也見不着他的可愛的詩句了。

當初他寫東西的時候常常喜歡我在書桌邊上搗亂，他說有時在逗笑的時間往往有絕妙的詩意不知不覺的駕臨的，他的巴黎的鱗爪，翡冷翠的一夜，自剖，都是在我的又小又亂的書桌上出產的。書房，書桌，我也不知給他預備過多少次，當然比我的又淸又潔，可是他始終不肯獨自靜靜的去寫的，人家寫東西，我知道是大半喜歡在人靜更深時動筆的，他可不然，最喜歡在人多的地方尤其是離不了我除我不在他的身旁。我是一個極懶散的人，最不知道怎樣收拾東西，我書桌上是亂的連手都幾乎放不下的，當然他寫完的東西我是輕意也不會想着給收拾好，所以他隔夜寫的詩常常次晨就不見了，堵着嘴只好怨我幾聲，現在想起來眞是難過，因爲詩意偶然得來的是不輕容易再來的，我不知毀了他多少首美的小詩，早知他要離開我這樣的匆促，我賭咒也不那樣的大意的。眞可恨，爲甚麼人們不能知道將來的一切。

我寫了半天也不知胡謅了些甚麼，頭早已暈了，手也發抖了，心也痛了，可是沒有人來擲我的筆了。四週只是寂

6

靜，房中只聞滴搭的鐘聲，再沒有志摩的「好了，好了」的聲音了。寫到此地不由我陣陣的心酸，人生的變態眞叫人難以捉摸，一霎眼，一縐眉，一切都可以大翻身。我再也想不到我生命道上還有這一幕悲慘的劇。人生太可怪了。

我現在居然還有同志摩寫一篇序的機會，這是我早答應過他而始終沒有實行的。將來我若出甚麼書是再也得不着他半個字了，雖然他也早已答應過我的。看起來還是他比我運氣，我從此只成單獨的了。

我再也寫不下去了，沒有人叫我停我也只得自己停了。我眼前只是一陣陣的糢糊，傷心的血淚充滿着我的眼

眶再也分不清白紙與黑墨，志摩的幽魂不知到底有一些

囘憶的能力不？你若擱筆還不見持我筆的手！！

小曼，二〇，一二，三〇。

8

目次

2.

雲遊

那天你翩翩的在空際雲遊，
自在，輕盈，你本不想停留
在天的那方或地的那角，
你的愉快是無攔阻的逍遙。
你更不經意在卑微的地面
有一流澗水，雖則你的明豔
在過路時點染了他的空靈，

使他驚醒，將你的倩影抱緊。

他抱緊的只是綿密的憂愁，
因爲美不能在風光中靜止；
他要，你已飛度萬重的山頭，
去更闊大的湖海投射影子！
他在爲你消瘦，那一流澗水，
在無能的盼望，盼望你飛回！

火車禽住軌

火車禽住軌，在黑夜裏奔：
過山，過水，過陳死人的墳；

過橋，聽鋼骨牛喘似的叫，
過荒野，過門戶破爛的廟，

過池塘，羣蛙在黑水裏打鼓，

過噤口的村莊，不見一粒火；

過冰清的小站，上下沒有客，
月台祖露着肚子，像是罪惡。

這時車的呻吟驚醒了天上
三兩箇星，躲在雲縫裏張望：

那是幹什麼的，他們在疑問，
大涼夜不歇着，直鬧又是哼，

4

長蟲似的一條，呼吸是火燄，
一死兒往暗裏闖，不顧危險，
就憑那精窄的兩道，算是軌，
馱著這份重，夢一般的累墜。
累墜！那些奇異的善良的人，
放平了心安睡，把他們不論

俊的村的命全盤交給了它，
不問爬的是高山還是低窪，

不問深林裏有怪鳥在訕咒，
天象的輝煌全對着毀滅走；

只圖眼前過得，裂大嘴打呼，
明兒車一到，搶了皮包走路！

這態度也不錯！愁沒有箇底；

6

你我在天空，那天也不休息，

睜大了眼，什麼事都看分明，
但自己又何嘗能支使運命？

說什麼光明，智慧永恆的美，
彼此同是在一條線上受罪；

就差你我的壽數比他們强，
這玩藝反正是一片糊塗賬，

你去

你去，我也走，我們在此分手；
你上那一條大路，你放心走，
你看那街燈一直亮到天邊，
你只消跟從這光明的直線！
你先走，我站在此地望着你，
放輕些腳步，別教灰土揚起，
我要認清你的遠去的身影，

直到距離使我認你不分明
再不然我就叫着你的名字，
不斷的提醒你有我在這里
爲消解荒街與深晚的荒涼，
目送你歸去………

不，我自有主張，
你不必爲我憂慮；你走大路，
我進這條小巷，你看那顆樹，
高抵着天，我走到那邊轉灣，
再過去是一片荒野的凌亂：

有深潭，有淺窪，半亮著止水，
在夜芒中像是紛披的眼淚；
有石塊，有鉤刺脛踝的蔓草，
在期待過路人疎神時絆倒！
但你不必焦心，我有的是胆，
凶險的途程不能使我心寒。
等你走遠了，我就大步向前，
這荒野有的是夜露的清鮮；
也不愁愁雲深裏，但須風動，
雲海裏便波湧星斗的流汞；

更何況永遠照徹我的心底；
有那顆不夜的明珠，我愛你！

在病中

我是在病中，這懨懨的倦臥，
看窗外雲天，聽木葉在風中……
是鳥語嗎？院中有陽光暖和，
一地的衰草，牆上爬著藤蘿，
有三五斑猩的，蒼的，在顫動。
一半天也成泥……
城外，啊西山！

12

太辜負了，今年，翠微的秋容！
那山中的明月，有彎，也有環：
黃昏時誰在聽白楊的哀怨？
誰在寒風裏賞歸鳥的鞏暄？
有誰上山去漫步，靜悄悄的，
去落葉林中檢三兩瓣菩提？
有誰去佛殿上披拂着塵封，
在夜色裏辨認金碧的神容？

這病中心情：一瞬瞬的回憶，

如同天空，在碧水潭中過路，
透映在水紋間斑駁的雲翳；
又如陰影閃過虛白的牆隅，
瞥見時似有，轉眼又復消散；
又如縷縷炊煙，才嬝㚟，又斷……
又如暮天裏不成字的寒雁，
飛遠，更遠，化入遠山，化作煙！
又如在暑夜看飛星，一道光
碧銀銀的抹過，更不許端詳。
又如蘭蕊的清芬偶爾飄過，

14

誰能留住這沒影踪的婀娜?
又如遠寺的鐘聲,隨風吹送,
在春宵,輕搖你半殘的春夢!

二十年五月續成七年前殘稿

雁兒們

雁兒們在雲空裏飛，
看她們的翅膀，
看她們的翅膀，
有時候紆迴，
有時候匆忙。
雁兒們在雲空裏飛，

晚霞在她們身上，
晚霞在她們身上，
有時候銀輝，
有時候金芒。

雁兒們在雲空裏飛，
聽她們的歌唱！
聽她們的歌唱！
有時候傷悲，
有時候歡暢。

雁兒們在雲空裏飛，
　　為什麼翱翔？
　　為什麼翱翔？
她們少不少旅伴？
她們有沒有家鄉？

雁兒們在雲空裏徬徨，
　　天地就快昏黑！
　　天地就快昏黑！

前途再沒有天光，
孩子們往那兒飛？

天地在昏黑裏安睡，
　昏黑迷住了山林，
　昏黑催眠了海水；
這時候有誰在傾聽
昏黑裏泛起的傷悲。

鯉跳

那天你走近一道小溪，
我說「我抱你過去，」你說「不；」
「那我總得攙你，」你又說「不。」
「你先過去，」你說，「這水多麗！」
「我願意做一尾魚，一支草，
在風光裏長，在風光裏睡，

20

收拾起煩惱，再不用流淚；
現在看！我這錦鯉似的跳！」

一閃光豔，你已縱過了水；
脚點地時那輕，一身的笑，
像柳絲，腰那在俏麗的搖；
水波裏滿是鯉鱗的霞綺！

七月九日

別擰我，疼

「別擰我，疼，」……
你說，微鎖着眉心。

那「疼，」一個精圓的半吐，
在舌尖上溜——轉。

一雙眼也在說話，

22

睛光裏漾起
心泉的祕密。

夢
洒開了
輕紗的網。

『你在那裏?』
『讓我們死,』你說。

領罪

這也許是個最好的時刻。
不是靜。　對面園裏的鳥，
從杜鵑到麻雀，已在叫曉。
我也再不能抵抗我的困，
它壓着我像霜壓着樹根；
斷片的夢已在我的眼前
飄拂，像在曉風中的樹尖。

24

也不是有什麼非常的事，
逼着我決定一個否與是。
但我非得留着我的清醒，
用手推着黑甜鄉的誘引：
因爲這是我唯一的機會，
自己到自己跟前來領罪。
領罪，我說不是罪是什麼？
這日子過得有什麼話說！

難忘

這日子——從天亮到昏黃，
雖則有時花般的陽光，
從郊外的麥田，
半空中的飛燕，
照亮到我勞倦的眼前，
給我剎那間的舒爽，
我還是不能忘——

26

不忘舊時的積累，
也不分是惱是愁是悔，
在心頭，在思潮的起伏間，
像是迷霧，像是詛咒的兇險：
它們包圍，它們纏繞，
它們猙露着牙，它們咬，
它們烈火般的煎熬，
它們伸拓着巨靈的掌，
把所有的忻快攔擋……

一九三〇年春

霹靂的一聲笑，
從雲空直透到地，
刮它的臉扎它的心，
說：「醒罷，老睡着幹麽？」
……………………
……………………
三日，滬寧車上。

28

愛的靈感

——奉適之——

下面這些詩行好歹是他撩撥出來的，正如這十年來大多數的詩行好歹是他的撥出來的！

不妨事了，你先坐着罷，
這陣子可不輕，我當是
已經完了，已經整個的
脫離了這世界，飄渺的，

不知到了那兒。彷彿有
一朶蓮花似的雲擁着我，
（她臉上浮着蓮花似的笑）
擁着到遠極了的地方去……
唉，我眞不希罕再囘來，
人說解脫，那許就是罷！
我就像是一朶雲，一朶
純白的，純白的雲，一點
不見分量，陽光抱着我，
我就是光，輕靈的一球，

30

往遠處飛往，更遠的飛；
什麼累贅，一切的煩愁，
恩情，痛苦，怨，全都遠了；
就是你——請你給我口水，
是橙子吧，上口甜着哪——
就是你，你是我的誰呀！
就你也不知那裏去了：
就有也不過是曉光裏
一髮的青山，一縷遊絲，
一翳微妙的暈；說至多

也不過如此，你再要多
我那柔雲也不能承載，
你，你得原諒，我的寃家！……
不礙，我不累，你讓我說，
我只要你睜着眼，就這樣，
叫哀憐與同情，不說愛，
在你的淚水裏開着花，
我陶醉着它們的幽香；
在你我這最後，怕是吧，
一次的會面，許我放嬌，

32

容許我完全佔定了你，
就這一晌，讓你的熱情，
像陽光照着一流幽潤，
透澈我的淒冷的意識，
你手把住我的，的正這樣，
你看你的壯健，我的衰，
容許我感受你的溫暖，
感受你在我血液裏流，
鼓勁我將永停歇的心，
留下一個不死的印痕：

這是我唯一，唯一的祈求⋮
好，我再喝一口，美極了，
多謝你。現在你聽我說。
但我說什麼呢，到今天，
一切事都已到了盡頭，
我祇等待死，等待黑暗，
我還能見到你，偎着你，
眞像情人似的說着話，
因爲我夠不上說那箇，
你的溫柔春風似的圍繞，

34

這於我是意外的幸福，
我只有感謝，（她合上眼。）
什麽話都是多餘，因爲
話只能說明能說明的，
更深的意義，更大的眞，
朋友，你只能在我的眼裏，
在枯乾的淚傷的眼裏
認取。

我是個平常的人，
我不能盼望在人海裏

值得你一轉眼的注意。
你是天風：每一個浪花
一定得感到你的力量，
從它的心裏激出變化，
每一根小草也一定得
在你的蹤跡下低頭，在
綠的顫動中表示驚異；
但誰能止限風的前程，
他橫掠過海，作一聲吼，
獅虎似的掃蕩着田野，

當前是冥茫的無窮，他
如何能想起曾經呼吸
到浪的一花，草的一瓣？
遙遠是你我間的距離；
遠，太遠！假如一支夜蝶
有一天得能飛出天外，
在星的烈燄裏去變灰
（我常自己想）那我也許
有希望接近你的時間。
唉，癡心，女子是有癡心的，

你不能不信罷？有時候
我自己也覺得眞奇怪，
心窩裏的牢結是誰給
打上的？爲什麼打不開？
那一天我初次望到你、
你閃亮得如同一顆星、
我只是人叢中的一點，
一撮沙土，但一望到你，
我就感到異樣的震動，
猛襲到我生命的全部，

眞像是風中的一朶花，
我內心搖晃得像昏暈，
臉上感到一陣的火燒，
我覺得幸福，一道神異的
光亮在我的眼前掃過，
我又覺得悲哀，我想哭，
紛亂佔據了我的靈府。
但我當時一點不明白，
不知這就是陷入了愛！
『陷入了愛，』眞是的！前緣，

孽債，不知倒底是什麼？
但從此我再沒有平安，
是中了毒，是受了催眠，
教運命的鐵鍊給鎖住，
我再不能躊躇：我愛你
從此起，我的一瓣瓣的
思想都染着你，在醒時，
在夢裏，想躲也躲不去，
我抬頭望，藍天裏有你，
我開口唱，悠揚裏有你，

我要遺忘，我向遠處跑，
另走一道，又碰到了你！
枉然是理智的殷勤，因爲
我不是盲目，我只是癡。
但我愛你，我不是自私。
愛你，但永不能接近你。
愛你，但從不要享受你。
即使你來到我的身邊，
我許向你望，但你不能
絲毫覺察到我的祕密。

我不妬忌，不豔羨，因爲
我知道你永遠是我的，
它不能脫離我正如我
不能躲避你，別人的愛
我不知道，也無須知曉，
我的是我自己的造作，
正如那林葉在無形中
收取早晚的霞光，我也
在無形中收取了你的。
我可以，我是準備，到死

42

不露一句，因爲我不必。
死，我是早已望見了的。
那天愛的結打上我的
心頭，我就望見死，那個
美麗的永恆的世界；死，
我甘願的投向，因爲它
是光明與自由的誕生。
從此我輕視我的軀體
更不計較今世的浮榮，
我祇企望着更縣延的

時間來收容我的呼吸，
燦爛的星做我的眼睛，
我的髮絲，那般的晶瑩，
是紛披在天外的雲霞，
博大的風在我的腋下
胸前眉宇間盤旋，波濤
冲洗我的脛踝，每一個
激盪湧出光豔的神明！
再有電火做我的思想，
天邊掣起蛇龍的交舞，

雷震我的聲音，驀地裏
叫醒了春，叫醒了生命。
無可思量，呵，無可比況，
這愛的靈感，愛的力量！
正如旭日的威稜掃蕩
田野的迷霧，愛的來臨
也不容平凡，卑瑣以及
一切的庸俗侵佔心靈，
它那原來靑爽的平陽。

我不說死嗎？再不畏懼，
再沒有疑慮，再不吝惜
這軀體如同一個財虜；
我勇猛的用我的時光。
用我的時光，我說？天哪，
這多少年是虧我過的！
沒有朋友，離背了家鄉，
我投到那寂寞的荒城，
在老農中間學做老農，
穿着大布，脚登着草鞋，

46

栽青的桑，栽白的木棉，
在天不曾放亮時起身，
手攬着泥，頭戴着炎陽，
我做工，滿身侵透了汗，
一顆熱心抵擋着勞倦；
但漸次的我感到趣味，
收拾一把草如同珍寶，
在泥水裏照見我的臉，
塗着泥，在坦白的雲影
前不露一些羞愧！自然

是我的享受；我愛秋林，
我愛晚風的吹動，我愛
枯葦在晚涼中的顫動，
半殘的紅葉飄搖到地，
鴉影侵入斜日的光圈；
更可愛是遠寺的鐘聲
交挽村舍的炊烟共做
靜穆的黃昏！我做完工，
我慢步的歸去，冥茫中
有飛蟲在交講，在天上

有星，我心中亦有光明！
到晚上我點上一支臘，
在紅毯的搖曳中照出
板壁上唯一的畫像，
獨立在曠野裏的耶穌，
（因爲我沒有你的除了
懸在我心裏的那一幅）
到夜深靜定時我下跪，
望著畫像做我的祈禱，
有時我也唱，低聲的唱，

發放我的熱烈的情愫
縷縷青烟似的上通到天。
但有誰聽到，有誰哀憐？
你踞坐在榮名的頂顚，
有千萬人迎著你鼓掌，
我，陪伴我有冷，有黑夜，
我流著淚，獨跪在床前！
一年，又一年，再過一年，
新月望到圓，圓望到殘，
寒雁排成了字，又分散，

50

鮮豔長上我手栽的樹，
又叫一陣風給刮做灰。
我認識了季候，星月與
黑夜的神祕，太陽的威，
我認識了地土，它能把
一顆子培成美的神奇，
我也認識一切的生存，
爬虫，飛鳥，河邊的小草，
再有鄉人們的生趣，我
也認識，他們的單純與

眞，我都認識。

　　跟着認識
是愉快，是愛，再不畏慮
孤寂的侵淩。那三年間
雖則我的肌膚變成粗，
焦黑薰上臉，剝坼刻上
手脚，我心頭祇有感謝：
因爲照亮我的途徑有
愛，那盞神靈的燈，再有
勞苦給我精力，推著我

向前，使我怡然的承當
更大的勞苦，更多的險。
你奇怪吧，我有那能耐？
不可思量是愛的靈感！
我聽說古時間有一箇
孝女，她爲救她的父親
胆敢上犯君王的天威，
那是純愛的驅使我信。
我又聽說法國中古時
有一個鄉女子叫貞德，

她有一天忽然脫去了
她的村服，丟了她的羊，
穿上戎裝拿著刀，帶領
十萬兵，高叫一聲「殺賊，」
就衝破了敵人的重圍，
救全了國，那也一定是
愛！因是祇有愛能給人
不可理解的英勇和胆，
祇有愛能使人睜開眼，
認識眞，認識價值，祇有

54

愛能使人全神的奮發，
向前闖，爲了一箇目標，
忘了火是能燒，水能淹。
正如沒有光熱這地上
就沒有生命，要不是愛，
那精神的光熱的根源，
一切光明的驚人的事
也就不能有。

啊我懂得！

我說「我懂得」我不慚愧：

因爲天知道我這幾年,
獨自一個柔弱的女子,
投身到災荒的地域去,
走千百里巉岈的路程,
自身挨着餓凍的慘酷
以及一切不可名狀的
苦處說來夠寫幾部書,
是爲了什麼?爲了什麼
我把每一個老年災民
不問他是老人是老婦,

56

當作生身父母一樣看，
每一個兒女當作自身
骨血，即使不能給他們
救度，至少也要吹幾口
同情的熱氣到他們的
臉上，叫他們從我的手
感到一個完全在愛的
純淨中生活着的同類？
爲了什麼我甘願餔啜
在平時乞丐都不屑的

飲食，呑咽腐朽與骯髒
如同可口的膏粱；甘願
在屍體的惡臭能醉倒
人的村落裏工作如同
發見了什麼珍異？爲了
什麼？就爲「我懂得」朋友，
你信不？我不說，也不能
說，因爲我心裏有一箇
不可能的愛所以發放
滿懷的熱到另一方向，

也許我卽使不知愛也
能同樣做誰知道，但我
總得感謝你，因爲從你
我獲得生命的意識和
在我內心光亮的點上，
又從意識的沈潛引渡
到一種靈界的瑩澈，又
從此產生智慧的微芒
致無窮盡的精神的勇。
啊，假如你能想像我在

災地時一個夜的看守
一樣的天，一樣的星空，
我獨自在曠野裏或在
橋梁邊或在牖有幾簇
殘花的籐蔓的村籬邊
仰望，那時天際每一個
光亮都爲我生着意義，
我飲咽它們的美如同
音樂，奇妙的韻味通流
到內藏與百骸，坦然的

60

我承受這天賜不覺得
虛怯與羞慚，因我知道
不爲己的勞作雖不免
疲乏體膚，但它能拂拭
我們的靈竅如同琉璃，
利便天光無礙的通行。

我話說遠了不是？但我
已然訴說到我最後的
囘目，你縱使疲倦也得

聽到底，因爲別的機會
再不會來。你看我的臉
燒紅得如同石榴的花；
這是生命最後的光焰，
多謝你不時的把甜水
浸潤我的咽喉，要不然
我一定早叫喘息窒死。
你的「懂得」是我的快樂。
我的時刻是可數的了，
我不能不趕快！

62

我方才
說過我怎樣學農，怎樣
到災荒的魔窟中去伸
一支柔弱的奮鬥的手，
我也說過我靈的安樂
對滿天星斗不生內疚。
但我終究是人是軟弱，
不久我的身體得了病，
風雨的毒浸入了纖微，
釀成了猖狂的熱。我哥

將我從昏盲中帶回家，
我奇怪那一次還不死，
也許因爲還有一種罪
我必得在人間受。他們
叫我嫁人，我不能推托。
我或許要反抗假如我
對你的愛是次一等的，
但因我的既不是時空
所能衡量，我即不計較
分秒間的短長，我做了

64

新娘，我還做了娘，雖則
天不許我的骨血存留。
這幾年來我是個木偶，
一堆任憑擺佈的泥土；
雖則有時也想到你，但
這想到是正如我想到
西天的明霞或一朵花，
不更少也不更多。同時
病，一再的回復，銷蝕了
我的軀殼，我早準備死，

懷抱一個美麗的秘密，
將永恆的光明交付給
無涯的幽冥。我如果有
一個母親我也許不忍
不讓她知道，但她早已
死去，我更沒有沾戀；我
每次想到這一點便忍
不住微笑漾上了口角。
我想我死去再將我的
秘密化成仁慈的風雨，

化成指點希望的長虹，
化成石上的苔蘚，葱翠
淹沒它們的冥頑；化成
黑暗中翅膀的舞，化成
晨時的鳥歌；化成水面
錦繡的文章；化成波濤，
永遠宣揚宇宙的靈通；
化成月的慘綠在每個
睡孩的夢上添深顏色；
化成系星間的妙樂：

最後的轉變是未料的；
天我不遂理想的心願，
又叫在熱譜中漏泄了
我的懷內的珠光！但我
再也不夢想你竟能來，
血肉的你與血肉的我
竟能在我臨去的俄頃
陶然的相偎倚，我說，你
聽，你聽，我說。眞是奇怪，
這人生的聚散！

68

現在我
眞，眞可以死了，我要你
這樣抱着我直到我去，
直到我的眼再不睜開，
直到我飛，飛，飛去太空，
散成沙，散成光，散成風，
啊苦痛，但苦痛是短的；
是暫時的；快樂是長的，
愛是不死的：
我，我要睡……

十二月二十五日晚六時完成

羅米歐與朱麗葉（第二幕第二景）

莎士比亞著
徐志摩節譯

羅……………

啊，輕些！什麼光在那邊窗前透亮？
那是東方，朱麗葉是東方的太陽。
升起來呀，美麗的太陽，快來蓋倒
那有忌心的月，她因爲你，她的侍女，
遠比她美，已然憂愁得滿面蒼白：
再別做她的侍女，既然她的心眼不大；

70

她的處女的衣裳都是綠陰陰的病態，
除了唱丑角的再沒有人穿；快脫了去。
那是我的小姐，啊，那是我的戀愛！
啊，但願她自己承認她已是我的！
她開口了，可又沒有話：那是怎麼的；
她的眼在做文章；讓我來答復她。
可不要太莽撞了，她不是向我說話：
全天上最明艷的一雙星，爲了有事
請求她的媚眼去升登她們的星座，
替代她們在太空照耀，直到她們回來。

果然她們兩下裏交換了地位便怎樣?
那雙星光就敵不住她的頰上的明霞,
如同燈光在白天裏羞縮;同時她的眼
在天上就會在虛空中放出異樣清光,
亮得鳥雀們開始歌唱,只當不是黑夜。
看,她怎樣把她的香腮托在她的手上!
啊我只想做她那隻手上的一隻手套,
那我就得滿搵她的香腮!

朱　啊呀!

羅　她說話了:

朱

啊，再說呀，光豔的安琪，因爲你是靈光
一脈，正好臨照在我頭上，這夜望着你
正如人間的凡夫翻白着訝異的肉眼，
在驚喜中瞻仰天上翅羽生動的使者，
看他偎傍倦飛的行雲，在空海裏振翮。
啊羅米歐，羅米歐！爲什麼你是羅米歐？
你怎不否認你的生父，放棄你的姓名？
再不然，你如果不願，只要你起誓愛我，
眞心的愛我，那我立時就不是高家人。

羅

我還是在下聽，還是就在這時候接口？

朱

說來我的仇敵還不就只是你那門第；
你還是你自己，就說不是一個孟泰谷。
什麼是孟泰谷？那既不是手也不是脚，
不是臂膀，不是臉，不是一箇人身上的
任何一部分。啊，你何妨另姓了一箇姓！
一箇名字有什麼道理？我們叫作玫瑰
那東西如果別樣稱呼那香還是一樣；
羅米歐即使不叫羅米歐也能一樣的，
保留他那可愛的完美，那是天給他的
不是他的門第。羅米歐，不要你的姓吧，

74

只要你捨得放棄那滿不關你事的姓，
你就有整個的我。

羅

那我準照你話辦：
只要你叫我一聲愛；我就再世投生；
從此起我再不是羅米歐的了。

朱

你是箇什麼人胆敢藏躲在黑夜裏，
這樣胡亂的對我說話？

羅

我有我的名姓；
但我不知道怎樣來告訴你說我是誰：
我的名姓，親愛的天人，我自己都厭惡，

朱　　　羅　朱

因為它不幸是你的仇敵如果我已經
把它寫了下來，我要一把扯碎那箇字。
我的耳朵還不曾聽到那嗓子發出的
滿一百個字，但我已能辨認那箇聲音：
你不是羅米歐，不是孟泰谷家的人嗎？
都不是，美麗的天人，如果你都不喜歡。
你怎樣到這裏來的，告訴我，為什麼來？
果園的牆圍是那樣高，不是容易爬過，
況且這地方是死，說到你是箇什麼人，
如果我的本家不論誰在這裏碰見你。

76

羅　憑著愛的輕翅我安然飛度這些高牆；
因爲頑石的關阻不能限止愛的飛翔，
愛有胆量來嘗試愛所能做到的一切；
說什麼你的本家他們不是我的阻礙。

朱　他們果眞見到你，他們一定將你害死，

羅　啊哈！說到危險，現成在你的眼裏的就
凶過他們的二十把刀劍：只要你對我
有情，他們的仇孽就害不到我的分毫。

朱　我可是再也不願他們在這裏見到你，

羅　我穿著黑夜的袍服，他們再不能見我；

況且只要你愛我，他們找到我又何妨：
我的命，有了你的愛，送給他們的仇恨
還不强如死期的延展，空想着你的愛。

朱　是誰指點了你來找到我這裏的住處？

羅　愛指點我的，他打起始就鼓動我根究；
他給我高明的主意，我借給他一雙眼，
我沒有航海的能耐，可是如果你遠得
如同那最遠的海所沖洗的闊大邊岸，
我爲了這樣的寶物也得忘命去冒險。

朱　你知道夜的幕紗是籠罩在我的臉上，

78

要不然，知道你聽到我今夜說過的話，
一個處女的羞紅就得塗上我的臉靨，
我何嘗不想顧著體面，何嘗不想否認。
我說過的話：但是夠了夠了您的恭維！
你愛不愛我？我知道你一定急口說「愛」，
我也願意信你的話：但如果你一起誓，
你也許結果會變心，聽到情人的說謊，
他們說，覺巫大聲笑。啊溫柔的羅米歐，
你愛我如是眞心，請你忠誠的說出口：
再說如果你想我是被征服得太輕易，

我就來縐起眉頭，給你背扭，說我不幹，
這樣你再來求情；但除此，我再不刁難。
說實話，秀美的孟泰谷，我心頭滿是愛，
因此你也許以爲我的舉止未免輕狂；
但是信任我，先生，信任我這一份眞心
正比一般裝腔作樣的更要來得品瑩。
論理我不該這樣直白，這不是我始願，
但我自己不會知覺，你已然全盤聽得
我的眞誠的愛戀的熱情：所以寬恕我，
請你不要把我這降服認作輕飄的愛，

80

要不是黑夜這份心事怎能輕易透漏?

羅　小姐，請指那邊聖淨的月色我來起誓

那月把純銀塗上了全園果樹的頂尖——

朱　啊，不要指着月兒起誓，那不恆定的月，

她每晚上按着她的天軌亮她的滿闕，

正怕你的愛到將來也是一樣的易變。

羅　那叫我憑什麼起誓?

朱　　　　　　　　　　簡直的不用起誓；

不然，如果非得要，就憑你溫雅的自身，

那是我的偶像崇拜的一尊唯一天神，

朱羅

我準定相信你。

如果我的心裏的愛戀——

得，不要起誓了：雖則我見到你我歡喜，
今晚上我可不歡喜什麼契約的締合，
那是太鹵莽了，太不愼重了，也太快了；
太像那天邊的閃電了，一掣亮，就完事，
等不及你說「天在閃電。」甜密的，夜安吧！
這箇愛的蓓蕾，受了夏的催熟的呼吸，
許會在我們再見時開成艷異的花朶。
夜安，夜安！我祝望一般甜密的安息與

82

舒適降臨到你的心胸如同我有我的!

羅　啊,難道你就這樣丟下我不給我滿足?

朱　那一類的滿足你想在今晚上向我要?

羅　你的相愛的忠貞的誓言來交換我的。

朱　我早已給了你那時你還不曾問我要:
可是我也願意我就重來給過一次。

羅　你要收囘那先給的嗎?爲什麼了,親愛?

朱　無非爲表示我的爽直,我再給你一次。
可是我想要的也無非是我自己有的。
我的恩情是如同大海一樣無有邊沿,

我的愛也有海樣深；更多的我施給你，
更多的我自有，因為兩樣都是無限的。
（奶媽在幕後叫喚）
我聽得裏面有人叫我；親愛的再會吧！
來了，好奶媽！甜密的孟泰谷，你得眞心！
你再等我一會兒，我就回來，還有話說。

羅
啊神聖的神聖的夜！我怕，怕因為是夜，
這一切，這一切難說竟是一場的夢幻、
這是甜密得叫人心癢，如何能是眞實？
（朱麗葉重上）

84

朱　再說三句話，親愛的羅米歐，你非得走，
如果你的情愛的傾向是完全光明的，
如果你志願是婚姻，你明天給我回話，
我會派人到你那裏去，你有話交給他，
說清白了在那兒什麼時候舉行大禮，
我就把我一切的命運放在你的跟前，
從此跟從你，我的主，任憑是上天下地。
奶（內）姑娘！
朱　我就來了，一忽兒。——但是如果你本無意，
那我求你——

奶　姑娘!

朱　稍爲等一等我就來了,——
立卽收起你的心腸,讓我獨自去悲傷:
明天我就派人。

羅　讓我的靈魂借此警醒——

朱　一千次的夜安!

一千次的夜不安,沒了
你的光亮。愛向着愛如同學童們離別
他們的書本,但相離,便如同抱着重書
上學。

朱　吁！羅米歐，吁！一個養鷹人在呼嘯，
為要從天上招回這「流蘇溫馴」的蒼鷹！
束縛的嗓子是斷啞的，它不能說响；
否則我就會打開「愛姑」藏匿著的巖穴，
使她震動大空的妙舌也幫着我叫喚，
叫我的羅米歐，直到她的嗓子啞過我的。

羅　是我自已的靈魂在叫响著我的名字；
夜晚情侶們的喉舌夠多麼銀樣鮮甜，
錯落在傾聽的耳鼓上如同最柔媚的
音樂！

朱　羅米歐！

羅　我的愛？

朱　明早上什那鐘點
你讓我派人上你那裏去？

羅　正九點鐘。

朱　我準不誤：從現在到明早中間相差
足有二十個春秋。我忘了爲什麼叫你
囘來。

羅　讓我站在這裏等你記起什麼事。

朱　我記不起不更好，你就得站着等我想。

88

你知道有你在跟前我是怎樣的心喜。

羅　我也甘願這樣就下去，任憑你想不起，
忘了你別的家除了我倆共同的月夜。

朱　眞的都快天亮了；我知道你早該囘去：
可是我放你如同放一頭供把玩的鳥；
縱容它跳，三步兩步的，不離人的掌心，
正像一個可憐的囚犯帶着一身鐐銬；
只要輕輕的抽動一根絲你他就囘來，
因爲愛，所以便妬忌他的高飛的自由。

羅　我願意我是你的鳥。

朱

密甜的，我也願意：
但正怕我愛過了分我可以把你愛死。
夜安，夜安！分別是這樣甜密的憂愁，
（下）

羅

讓睡眠祝福你的明眸，平安你的心地！
願我是你的睡眠和平安，接近你的芳軀！
現在我得趕向我那鬼樣神父的僧房，
去求他的幫助，告訴他這意外的佳遇。
（下）

奧文滿壘狄斯的詩

Owen Meredith 是英國維多利亞時代的一位詩人，他的位置在文學史裏並不重要，但他有幾首詩却有特別的姿趣。我下面翻的一首 The portrait 是在英國詩裏最表現巴黎墮落色彩——“Blase”的作品。不僅是悲觀，簡直是極不堪的厭世聲，最近代放縱的人道——巴黎社會當然是代表——一幅最惡毒的寫照。滿壘狄斯的眞名是 Bulwor Lytton他是大小說家 Lord Lytton 的兒子。

"The Portrait"小影

半夜過了！悽情的屋內
無有聲息，祇有他祈禱的音節；
我獨坐在衰熄的爐火之邊，
冥念樓上我愛的婦人已死。
整夜的哭泣！暴雨雖已斂息，
檐前却還不住的瀝淅；
月在雲間窺伺，彷彿也悲切，
滿面蒼白的神情，淚痕歷歷。

更無人相伴，解我岑寂，
只有男子一人，我好友之一，
他亦因傷感而倦極，
已上樓去眠無音息。

悄悄的村前，悄悄的村後，
更有誰同情今夜的慘劇，
只有那貌似拉飛爾的少年畝師，
她去世時相伴同在一室。

那年青的牧師，秉心慈和，
他見我悲愁，他也傷苦；
我見他在她臨死的祈禱，
他亦陣陣變色，脣顫無度。

我獨坐在悽寞的壁爐之前，
細想已往的歡樂，已往的時日；
我說「我心愛的人已經長眠，
我的生活自此慘無顏色。」

94

她胸前有一盛我肖像的牙盒，
她生時常掛在芳心之前——
她媚眼不厭千萬遍的瞻戀，
此中涵有無限的溫情綣繾。

這是我寶物的寶物，我說，
她不久即長埋在墓庭之側；
若不及早去把那小盒取出，
豈非留在她胸前，永遠埋沒。

我從死焰裏點起一盞油燈？
爬上樓梯，級級在怖懼顫震，
我悄步地掩入了死者之房，
我愛人遍體白衣，殭臥在床。

月光臨照在她衣衾之上，
慘白的屍身，無聲靜偃，
她足旁燃有小白燭七枝，
她頭邊也有七燭然點。

96

我展臂向前，深深的呼吸，
轉身將床前的帳幔揭開；
我不敢直視死者之面，
我探手摸素她心窩所在。

我手下落在她胸前，啊！
草非她芳魂的生命，一展回還，
我敢誓言，我手覺着溫煖，
而且悚悚的在動彈。

那是隻男子的手，從床的那邊，
緩緩的也在死者的前移轉；
嚇得我冷汗在眉額間直瀋，
我嚷一聲『誰在行竊屍身？』
面對我，燭光分明的照出，
我的好友，伴我度夜的好友，
站立在屍身之畔，形容慘變；——
彼此不期的互視，相與驚駭。

『你幹什麼來，我的朋友？』
他先望望我，再望望屍身。
他說『這裏有一個肖像，
『不錯有的，』我說，『那是我的。』

『不錯你的，』我的好友說，
『那肖像原是你的一月以前，
但以仙去的安琪兒早已取出，
我知道她把我的小影放入。』

『這婦人愛我是眞的，』我說，
『愛你，』他說，『一月以前，也許。』
『那有的事，』我說，『你分明謊說，』
他答，『好，我們來看個明白。』

得了！我說，讓死的來判決，
這照相是誰的就是誰的，
如其戀愛的心意改變，
你我誰也不能怨誰。

100

那相盒果然還在死者的胸前，
我們在燭光下把盒子打開，
盒內寶石的鑲嵌，依然無改，
但只肖像却變成非我非他的誰。

『這釘趕出那釘，眞是的！
這不是你也不是我，』我嚷道——
『却是那貌似拉飛爾的少年牧師，
他獨自伴着她離生入死。』

十二年六月十日

雲遊
一九三二年七月初版
實價五角
著作者　徐志摩
發行者　新月書店　北平米市大街　上海四馬路